COLLECTION
LITTÉRATURE JEUNESSE
DIRIGÉE PAR ANNE-MARIE AUBIN

DE LA MÊME AUTEURE

Chez le même éditeur

Gaspard ou le chemin des montagnes, 1984.

La Vraie Histoire du chien de Clara Vic, 1990,
Prix du Gouverneur général, 1990,
Prix Alvine-Bélisle, 1990.

Bibitsa ou l'étrange voyage de Clara Vic, 1991,
Liste d'honneur 1992, IBBY international.

Victor

Victor

CHRISTIANE DUCHESNE

ROMAN

ÉDITIONS QUÉBEC/AMÉRIQUE

425, rue Saint-Jean-Baptiste,
Montréal, Québec H2Y 2Z7
(514) 393-1450

Cet ouvrage a été publié grâce à une subvention du Conseil des Arts du Canada

Données de catalogage avant publication (Canada)

Duchesne , Christiane, 1949 -

Victor

(Collection Littérature jeunesse ; 37)
Pour les jeunes à partir de 10 ans.

ISBN 2-89037-592-7

I.Titre II. Collection: Collection Littérature jeunesse (Québec/Amérique) ; 37.

PS8557.U265V52 1992 jC843'.54 C92-096223-8
PS9557.U265V52 1992
PZ23.D82Vi 1992

Dépôt légal:
1e trimestre 1992
Bibliothèque nationale du Québec
Bibliothèque nationale du Canada

Montage: Caroline Fortin

Je remercie Reynald Michaud qui m'a un jour parlé de Victor, à Saint-Fidèle, devant le Pouchkine qui passait.

Je remercie également l'équipe grâce à laquelle Victor a d'abord vécu dans Victor, la terre est plate? court métrage de trente minutes réalisé en 1983.

Alexis Martin	Victor
Guy Thauvette	Le grigou
Giacomina Tomasi	La serpente
Madeleine Pageau	Madame Belon
Michel Daigle	Léonard

réalisateur
Marc F. Voizard

Producteurs
Franco Battista et Barbara Shrier

Christian Duguay
pour l'image

Lise Bédard,
aux costumes

Chapitre 1

Lorsque le soleil commence à se cacher derrière les hauteurs, le cri des engoulevents remplace celui des oiseaux de mer.

Victor ne bouge pas. Le bateau va disparaître dans quarante-deux secondes. Encore presque une minute de ce spectacle étonnant: les derniers reflets rouges caressent les cheminées, font éclater les hublots comme des feux d'artifices. Le bateau glisse sur le fleuve. Le son des moteurs occupe encore le silence.

À plat ventre au bord de la falaise, Victor ferme les yeux. Il ne veut jamais voir le bateau disparaître derrière la forêt. Lorsqu'il les ouvre, tout est fini. Les quarante-deux secondes sont écoulées. Le bateau est caché une fois de plus, disparu plus loin, quelque part sur le fleuve qui coule toujours vers l'est. Vers la mer, disent les gens. Vers la mer que Victor n'a jamais vue. Il ne reste à Victor qu'un ronronnement dans l'oreille, le bruit des moteurs qui s'éloigne comme une dernière vibration du soir.

• • •

Ce soir-là dans son lit (une fois de plus, un soir de plus, car chaque jour, c'est la même chose), Victor sent son coeur rétrécir. Et c'est tout bas qu'il appelle: «Grigou, grigou, jure-moi que le bateau va revenir.»

Victor s'endort, rassuré par les engoulevents qui lanceront toute la nuit leur cri étrange et insistant.

• • •

Depuis toujours, le grigou habite les rêves de Victor. Énorme oiseau, tendre personnage, il vient la nuit calmer ses craintes. Car Victor a des inquiétudes. Des craintes, des peurs et des inquiétudes. Lorsqu'il voit le bateau passer devant chez lui, Victor se demande chaque fois s'il reviendra ou non. Et s'il allait tomber en bas de la terre?

Si tout le monde sait que la terre est ronde, Victor, lui, ne l'a jamais compris. Ne l'a jamais vraiment su, en fait. À douze ans, Victor n'est encore jamais allé à l'école, n'est jamais allé plus loin que le village, n'a jamais lu le journal puisqu'il ne sait pas lire. Et s'il entend à l'occasion quelqu'un déclarer que la terre est ronde, il ne le croit tout simplement pas.

Victor ne croit pas aux images qu'on voit à la télévision.

Victor ne comprend que ce qu'il voit. Il a ses certitudes. Il sait que le bateau passe devant chez lui et qu'il est toujours revenu. Il sait que devant la maison, le plateau s'étend jusqu'à la falaise, qu'au pied de la falaise il y a le fleuve qui coule du côté où le soleil se lève.

Il sait que derrière la maison, le champ court jusqu'à la forêt, que la forêt est très noire, mais qu'il s'y retrouve toujours. Que derrière la forêt passe une route qui mène aux villes. À des villes qu'il n'a jamais vues.

Victor va au village une fois par semaine pour faire des courses, acheter des timbres, du papier à dessin ou des gâteries pour le cochon. Il n'aime pas le village. Trop de gens, trop de bruit, trop de voitures. C'est là qu'il retrouve les enfants de Léonard le facteur.

Dès qu'ils voient apparaître Victor, c'est chaque fois la même chose. «Victor, raconte-nous l'histoire de Six quand il était petit! Raconte-nous celle de la poule qui pond trop!» Celle qu'ils préfèrent, c'est l'histoire de la voiture qui n'avance pas.

Victor raconte toujours de vraies histoires. La voiture, c'est la sienne, qu'il reconstruit sans cesse, qu'il répare dans la deuxième grange, et qui démarre une fois sur deux. Lorsqu'elle veut bien avancer (ce qui est très rare), Victor sort solennellement dans le champ, fait deux fois le tour des bâtiments et revient dans la grange, sous le regard admiratif des poules et du cochon Six.

Dans ces moments-là, Victor oublie ses inquiétudes. Mais elles reviennent toujours trop vite.

C'est parce qu'il ne sait pas que la terre est ronde que Victor s'inquiète chaque fois que le bateau passe devant chez lui. Et qu'il ferme les yeux pour ne pas le voir disparaître derrière les arbres. Le bateau pourrait bien filer sur le fleuve jusqu'à la mer, traverser la mer jusqu'à la fin et tomber. Tomber. Tomber pendant des siècles dans le plus grand des vides. Tomber en bas de la terre puisqu'elle doit bien finir quelque part.

La fin de la terre. Le bout de la terre. Victor en a très peur.

• • •

Dans les moments de grande crainte, Victor rêve au grigou. Même s'il a très mauvais caractère, le grigou finit toujours par apparaître au beau milieu de la nuit, s'installe confortablement dans un des rêves de Victor et le rassure jusqu'au lendemain.

Depuis quand le grigou vient-il

ainsi réconforter les nuits de Victor? Ce serait bien difficile à dire. Sans doute depuis les premiers rêves, les premiers mauvais rêves qui datent des premières peurs de Victor.

Un jour qu'il était tout petit, Victor avait couru trop vite jusqu'au bord de la falaise. Il avait de justesse évité la chute en butant contre une pierre. Il s'était retrouvé à plat ventre, la tête au-dessus du vide, hurlant de peur plus que de mal. C'est ce soir-là qu'avaient commencé les mauvais rêves. Le grigou avait sans doute fait sa première apparition cette nuit-là.

Chapitre 2

Le jour où la vie de Victor bascule, il fait beau. Le printemps vire à l'été. L'odeur des lilas lui fait fermer les yeux.

Victor court à travers les champs du plateau, enjambe les clôtures comme un coureur de fond, éclate de rire, envoie la main aux goélands. Il n'y a rien pour lui de plus beau que ces jours où le printemps prend des allures d'été.

Ce jour-là, Victor court à la poste. Pas à la poste du village, non. À la croisée du rang et de la route, là où se tiennent bien droites les boîtes aux lettres vert foncé. Boîtes à mystères avec leurs compartiments où Léonard le facteur dépose chaque matin les secrets de chacun.

Victor entend la mobylette essoufflée de Léonard et accélère le pas. Il saute par-dessus la dernière clôture.

— Jamais fatigué lui, le petit Victor! crie une voix derrière lui.

C'est madame Belon. Madame Belon qui court à petits pas, serrée dans son costume des dimanches, le costume rouge qui lui donne des allures de mauvaise fée. Le chapeau rouge aussi d'ailleurs. Madame Belon ne sort jamais sans son chapeau, son sac et ses gants.

À peine Léonard a-t-il le temps d'ouvrir les casiers que madame Belon passe à l'attaque, trois grandes enveloppes à la main.

— Trois! Trois concours du même coup! dit-elle d'une voix de clarinette.

— Encore pour le tour du monde, madame Belon? lance le facteur avec un sourire malin.

— Un dans la boîte de thé, un dans le journal de ce matin et l'autre dans le pot de mayonnaise! crie madame Belon, à bout de souffle. Le tour du monde! Mon cher Léonard, vous vous imaginez? Un voyage autour du monde!

Madame Belon a des idées de grandeur. Elle a toujours aimé les concours, tous les concours. Et elle gagne! Des livres et des dictionnaires, des couteaux qui coupent tout, des soupers dans les grands restaurants, une visite à la télévision, des trousses de beauté, des valises à ses initiales. Mais ce dont elle rêve par-dessus tout, c'est d'un voyage autour du monde.

Victor s'appuie sur les boîtes aux lettres. Le tour du monde, encore... Chaque fois qu'elle en parle, il respire plus rapidement, serre les poings dans ses poches. Ce concours-là, il ne faut pas qu'elle le gagne. Si elle allait trop loin? Si elle allait jusqu'au bord? Si elle tombait en bas de la terre? Chaque fois, l'idée le terrorise. Mais Victor n'ose pas mettre en garde madame Belon, d'abord parce qu'elle a toujours raison (du moins elle le pense), et puis parce qu'il est convaincu qu'elle rirait de lui. Victor n'aime pas qu'on rie de lui.

Madame Belon continue sans même reprendre son souffle.

— Des pays exotiques, des endroits où personne ne va! Le Tibet, la Terre de Feu, la Sibérie. Me voyez-vous! Et si je rencontrais des tribus d'anthropophages? Vous savez, les gens qui mangent les gens... J'en rêve! Ou des rois, des explorateurs...

— Deux petites minutes, Victor, j'ai beaucoup de courrier pour ton père, dit Léonard qui n'écoute madame Belon que d'une oreille.

Victor écoute, laisse parler madame Belon sans pouvoir ouvrir la bouche.

— Vous comprenez, je rêve de faire le tour du monde depuis le jour où j'ai mis le pied dans un aéroport! Si je gagne, il va y avoir du travail pour vous deux! déclare-t-elle en fixant tour à tour Victor et Léonard. Mon petit Victor, il faudra que tu donnes un coup de main pour aider Léonard à classer les cartes postales! Il y en aura beaucoup!

Les mots de madame Belon résonnent dans la tête de Victor comme de mauvaises formules magiques. «Ne partez pas, voudrait lui dire Victor. Madame Belon, ne partez pas. Restez ici bien tranquille à rembourrer vos matelas. Ne partez pas, c'est trop dangereux!»

Mais elle poursuit, le regard enflammé :

— Madame Belon vous embrasse de Hong-Kong... madame Belon vous envoie ses bons voeux de Singapour... Istanbul, Rio! Et Paris, mon Dieu, Paris! Vous comprenez, moi, je me suis toujours dit: «Si la terre est ronde, il faut en faire le tour au moins une fois dans sa vie!»

— Vous n'avez pas peur de tomber en bas? ose enfin dire Victor d'une voix très sourde.

Madame Belon se retourne vers lui, lui caresse la joue comme s'il était son chat et éclate d'un rire de sorcière.

— S'il avait fallu qu'on tombe en bas de la boule, ça ferait longtemps qu'on serait tous tombés, mon petit Victor!

C'est précisément à ce moment-là que la vie de Victor bascule. La terre, une boule? Ce serait pire que tout. «S'il avait fallu qu'on tombe en bas de la boule...» Ronde peut-être, la terre, mais une boule? Non.

Victor recule d'un pas, le coeur empoisonné par les étranges paroles de madame Belon.

— Tiens, pour ton père, dit Léonard en tendant les enveloppes à Victor.

Mais Victor n'entend plus rien. Il range machinalement les enveloppes dans sa poche et part à reculons, les yeux fixés sur madame Belon qui parle encore. Rio, Hong-Kong, la Terre de Feu... Les noms s'ancrent dans la tête de Victor comme des mots qui portent en eux le mauvais sort.

Chapitre 3

Il sort du poulailler, le cochon Six entre les bras. Si la nuit le grigou s'occupe de veiller sur son sommeil, le jour, c'est au cochon Six que Victor confie ses inquiétudes.

Six, c'est le plus beau de tous les cadeaux que Victor a reçus dans sa vie. Le cochon qu'il rêvait d'avoir le jour où il saurait ses chiffres et ses lettres.

C'était le jour de ses dix ans. C'était aussi le jour où il avait enfin su compter jusqu'à vingt sans se tromper et écrire son nom sans faire de fautes.

Victor savait qu'il ne pourrait jamais aller à l'école comme les autres, qu'il ne pourrait jamais compter jusqu'à des nombres longs comme des mots. Il avait très bien compris ce qu'on lui avait expliqué : qu'un petit accident à sa naissance avait fait de lui quelqu'un de très particulier, qui ne pense pas comme les autres, qui comprend les choses comme personne ne sait le faire et qui déclare souvent des choses étonnantes.

Mais même sans aller à l'école, il y a toujours moyen de compter jusqu'à vingt et de savoir écrire son nom.

C'est ainsi que le jour de ses dix ans, fier de son âge, de ses chiffres et de ses lettres, Victor avait reçu en cadeau le cochon, tout petit et tout rose, doux comme un jupon. Il l'avait aussitôt baptisé Six, en l'honneur des chiffres.

Six avait grandi, sans jamais perdre toutefois le rose de son enfance.

— Regarde, cochon! Regarde! dit Victor à Six en s'avançant sur le plateau. Madame Belon dit que la terre est faite en forme de boule! Ce n'est pas rond, c'est plat comme une main! Regarde avec tes petits yeux, cochon. C'est rond?

Victor contemple le plateau qui s'étend jusqu'à la falaise. Le champ est vert jusqu'à la coupure. Après, la tête des arbres et les eaux sombres du fleuve qui coulent vers la mer.

Le cochon Six colle sa tête sous le menton de Victor en poussant un grognement de confort.

— Il faut qu'on l'empêche de tomber! Elle va se tuer, madame Belon, elle va disparaître. Si elle part faire le tour du monde, elle va marcher, marcher, marcher sans faire attention. Elle est trop curieuse, madame Belon. Arrivée au bord, elle va perdre l'équilibre, elle va tomber. Jusqu'à ce que personne ne l'entende plus crier au secours. C'est plat, la terre. Tu le vois bien, cochon! As-tu peur?

Le cochon Six se couche en boule dans les bras de Victor. C'est comme ça qu'il aime s'endormir l'après-midi. Victor le berce en marchant lentement vers le poulailler.

— Silence, les poules, le cochon dort, dit-il en entrant.

C'est avec les gestes les plus doux que Victor dépose Six dans un fauteuil abandonné dans le poulailler depuis toujours. Les poules ont baissé la voix. Victor les remercie d'un signe de la main.

• • •

Ce soir-là, Victor mange sans appétit. Les yeux rivés sur l'assiette qu'il tient à la hauteur de ses yeux, Victor observe. Plate, ronde. Plate et ronde. Plate, ronde et vide, l'assiette. Plate, ronde et pleine, la terre. Et si l'assiette bascule? Si la terre basculait? Un, deux, trois...

L'assiette rebondit sur le plancher. Pas un éclat, pas une brèche. Victor s'étonne et se réjouit. S'il fallait qu'il casse quelque chose chaque fois qu'il réfléchit, la maison serait bien vide.

«Est-ce que la terre tombe? se demande Victor en replaçant l'assiette sur la table. Est-ce que la terre tombe sans que personne le sache? Ou est-ce qu'elle est toujours au même endroit? Est-ce qu'elle vole? Est-ce que quelqu'un la tient?»

Les idées l'épuisent. Les questions n'ont pas de réponses et Victor n'en trouve pas non plus. Lorsqu'il sent comme ce soir la fatigue lui envahir la tête, Victor court chercher sa bicyclette et part à toute allure à travers les champs du plateau. Des odeurs de nuit et d'herbe fraîche, les odeurs bleues du fleuve, celles qui montent du pied de la falaise juste avant que ne s'allume la première étoile.

Victor ne s'arrête surtout pas quand il croise madame Belon à la limite de la route et des champs. Elle lui envoie la main. Victor pédale encore plus vite. Il a trop peur de l'entendre rire.

Chapitre 4

Victor met beaucoup de temps à s'endormir. La nuit est trop douce, les peurs sont trop vives. L'image de madame Belon tombant en bas de la terre le poursuit.

Pourquoi s'acharne-t-elle à partir? Qu'est-ce qui la pousse à vouloir à tout prix rencontrer les gens qui mangent les gens, à prendre l'avion, à aller si loin?

Déjà le bateau fait peur à Victor. Les avions l'inquiètent encore plus. Où vont-ils donc, ces avions qui passent au-dessus de sa tête? Le bateau, Victor le reconnaît. Toujours le même, son nom écrit derrière avec des lettres que Victor ne connaît pas. Pouchkine, c'est le nom du bateau. Tout le monde le sait. Mais les avions, avant qu'on puisse les reconnaître, c'est autre chose.

Si madame Belon restait chez elle, Victor dormirait mieux. Mais il sait qu'elle va partir un jour. Il sait qu'elle va gagner son tour du monde un jour ou l'autre.

Lorsqu'il était petit, Victor aimait bien marcher jusque chez madame Belon, à cause des matelas. Madame Belon répare, rembourre, recoud des matelas, les recouvre de satin bleu pâle, de coton à rayures ou à fleurs.

Si madame Belon était très occupée à parler avec une cliente, ce qui durait toujours très longtemps, Victor se glissait par la fenêtre et pénétrait dans l'immense entrepôt des matelas derrière la grande maison blanche. De la mousse, des boules de coton, des ressorts, des kilomètres de ruban brillant et une odeur sèche comme au milieu de l'été. Jusqu'au plafond, des boîtes, des sacs et des écheveaux. Victor enlevait ses chaussures et se laissait tomber sur les sacs. L'impression de sombrer dans un monde mou, doux, silencieux. Pas un son. Jusqu'à ce que résonne au loin la voix de madame Belon qui disait invariablement: «Mais oui, mais oui, bien sûr, ce sera prêt demain.» Signe qu'il fallait disparaître en vitesse, reprendre ses chaussures et filer par la fenêtre.

Si elle ne lui avait pas toujours fait si peur à cause de son rire de sorcière, Victor aurait bien aimé s'asseoir sur les genoux de madame Belon.

Ce devait être aussi doux que les sacs de bourre à matelas.

Il y a très longtemps, à l'époque où Victor ne savait pas encore aller à bicyclette, madame Belon lui avait fait sans le savoir un cadeau extraordinaire: une boule de verre, claire et transparente comme une énorme goutte d'eau. Ce jour-là, madame Belon avait décidé de se défaire de l'inutile. Elle alignait devant chez elle d'innombrables boîtes remplies de vêtements et d'objets hétéroclites.

Le père de Victor s'était arrêté un instant pour observer leur étonnant contenu.

— Tout cela appartenait à mon défunt mari, avait dit madame Belon en poussant un soupir ému. Si quelque chose vous intéresse, monsieur Joseph, prenez-le. Je me débarrasse de tout!

Le père de Victor avait choisi un livre sur le chant des oiseaux.

Victor, lui, demeurait parfaitement immobile, ébloui par une boule de verre plus grosse qu'une orange.

— Arrête de la regarder comme ça! lui avait dit madame Belon. Si tu la veux, prends-la! De toute manière, ça ne sert à rien!

Victor avait dit merci. Il avait pris la boule entre ses deux mains, étonné qu'une chose transparente puisse être aussi lourde. Le soir, il l'avait posée à côté de son oreiller.

Depuis toutes ces années, la boule de verre était restée pour Victor le plus fabuleux de tous les objets. À travers le verre, il regardait le monde se déformer, se transformer ou éclater en reflets magnifiques.

Madame Belon n'aurait jamais pu se douter qu'elle avait offert à Victor la plus belle chose du monde.

Malgré la boule de verre, et encore aujourd'hui, Victor a toujours un peu peur de madame Belon. Elle parle trop, rit trop fort et déclare toujours quelque chose qui gêne Victor.

Le tour de la terre, c'est ce qu'elle a déclaré de pire depuis qu'il la connaît.

Comment s'endormir avec de telles idées dans la tête? Victor regarde la boule de verre. «On ne peut pas vivre sur une boule. On ne peut pas marcher sur une boule», songe-t-il.

— Grigou, grigou, je sais que la nuit sera dure, implore-t-il à mi-voix.

Il tire le drap par-dessus sa tête et ferme les yeux pour la centième fois. Lentement, le sommeil finit par venir, mais c'est avec un rêve qu'il arrive.

Dans des lambeaux de brouillard rose, Victor voit courir madame Belon, très chic avec son chapeau à fleurs, son grand sac de cuir bleu d'où sort un parapluie. Dans son dos flottent des ballons de toutes les couleurs. Elle rit de son rire infernal, lançant à pleines mains des cartes postales qui s'envolent dans le ciel. Victor court derrière elle sur le plateau, mais madame Belon avance à grands bonds. Elle se retourne vers Victor avec un sourire grimaçant, ne voit pas venir la falaise et bondit toujours, de plus en plus haut. Au dernier bond, malgré les hurlements de Victor, madame Belon disparaît dans un gigantesque éclat de rire. Victor sent la terre s'effriter sous ses pieds.

Le grigou le rattrape de justesse, l'enlève dans ses immenses ailes juste au moment où il va disparaître à la suite de madame Belon.

Le rêve s'arrête net et Victor se réveille, trempé de sueur, le souffle court.

— Merci, grigou, souffle-t-il à l'étrange oiseau de ses rêves. Sans toi, je tombais. Comme elle...

Le vrai sommeil ne vient que beaucoup plus tard, très tard, trop tard pour que Victor puisse profiter de la nuit. Mais juste avant de s'endormir, il comprend ce qu'il doit faire.

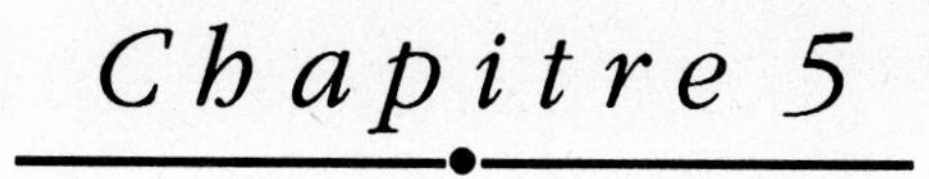

Chapitre 5

Lorsque Victor court vers le poulailler le lendemain matin, il entend de loin la voix de sa mère, mais ralentit à peine le pas.

— Victor, as-tu fait ton lit?

Victor fait signe que oui sans cesser de courir.

— Parce que si tes draps sont mal tirés, tu vas faire de mauvais rêves, ce soir...

Elle a toujours dit la même chose depuis qu'il est tout petit, pour rire ou pour le faire rire. Mais cette nuit, le mauvais rêve a bouleversé Victor. Une fois de plus, une fois de trop. Heureusement, il y a le grigou.

Victor entre d'un pas décidé dans le poulailler.

— Écoute, cochon, dit-il à Six en

le prenant dans ses bras pour lui parler à l'oreille. Je pars. Je m'en vais construire une clôture pour l'empêcher de tomber. Je vais faire une clôture pour empêcher madame Belon de tomber en bas de la terre. C'est long, mais il faut que je le fasse.

Les poules caquettent si fort que Victor ne s'entend pas parler.

— Silence, les poules, je parle à Six!

Victor dépose Six dans le foin qui s'entasse au fond du poulailler.

— Je pars, cochon. Je vais faire le tour de la terre avec mes piquets. Je reviens ce soir. Mais je n'aurai pas fini. Ce sera très long. Il faudra que tu m'attendes chaque jour. Tu pourras?

Six grogne doucement.

Dans un grand sac de toile, Victor entasse ses piquets, ceux de l'ancienne clôture que personne n'a jamais pris la peine de jeter, longs et fins comme des perches. Un maillet. Un rouleau de corde. Tout est prêt.

• • •

Longtemps Victor suit la clôture qui ferme les champs de son père, puis celle du premier voisin. Il longe la falaise en cherchant des yeux le bateau qui devrait passer ce matin.

— Allez, Pouchkine! Apparais donc!

Après le deuxième voisin, plus rien. Plus de clôture, plus de fil de fer; c'est au tour de Victor de planter ses piquets.

— C'est ici qu'on commence, crie-t-il au ciel en attachant sa corde au dernier pieu du deuxième voisin.

Victor laisse filer la corde au creux de sa main, marchant à grands pas, les yeux rivés sur le fleuve. Pas de Pouchkine. Il est trop tôt?

Un premier piquet, planté à grands coups de maillet, un noeud. Le sac sur l'épaule, la corde au creux de la main, Victor marche encore.

Tout à coup, Victor reconnaît entre tous les sons qui l'entourent le ronronnement régulier des moteurs du Pouchkine. Le bateau passe enfin, fidèle. Le coeur de Victor s'étonne chaque fois. Une fois de plus, le bateau est revenu. Il revient toujours.

«Et si la terre était ronde, se dit Victor, si la terre était ronde comme le dit madame Belon, le bateau passerait toujours dans le même sens. Il ne reviendrait pas, il ferait le tour de la boule, il tournerait en rond.

Mais il revient. S'il revient, c'est qu'il va jusqu'au bord de la terre. Qu'il fait demi-tour et qu'il revient. C'est comme ça que les choses se passent, songe Victor. Madame Belon se trompe. Je le sais.»

• • •

La lumière change, le soleil monte, Victor marche toujours. Les piquets se dressent derrière lui rattachés par la corde. Vingt piquets, trente, cinquante piquets.

L'après-midi est lourd, le ciel tout à coup chargé d'orage. Soixante piquets. Victor frappe encore à grands coups de maillet. La fatigue l'arrête vers cinq heures. Il est temps de rentrer.

Cent piquets? Pour Victor, c'est beaucoup. Cela lui suffit. Le mot cent ne veut rien dire.

Et c'est au centième piquet, comme s'il était responsable des quatre-vingt-dix-neuf autres, que Victor déclare en souriant: «Vous restez tous là! Je reviens demain matin. Et s'il y en a un qui a bougé, je me fâche, compris?»

• • •

Pendant deux jours, Victor plante encore une interminable série de piquets, bien alignés les uns derrière les autres, la corde jaune dessinant le long de la côte une étrange banderole qui monte et qui descend selon les désirs du terrain suivant de haut le fleuve dans ses plus profonds détours.

Plus le travail avance, plus Victor réfléchit, plus ses idées se brouillent. Si madame Belon part en avion, c'est pour aller très loin. Comment pourra-t-il, lui, rejoindre tous les bords de la terre avant qu'elle soit rendue quelque part? Si elle part en bateau, est-ce qu'il faudra tendre des piquets en travers du fleuve? Pour l'instant, le Pouchkine revient toujours. Mais si un jour il tombait à l'autre bout de la terre?

Madame Belon ne devrait pas franchir le fleuve. Parce qu'après le fleuve, on ne voit plus rien. Parce que dès qu'on regarde le fleuve, le regard s'enfuit vers le large et qu'après le large, il y a la mer, disent les gens.

Si madame Belon dérive sur la mer, elle tombera. Un jour. Parce qu'on peut dériver longtemps. Le bord de la terre peut être très loin, passé la mer.

Avant de rentrer ce soir-là, Victor se dit qu'il aurait peut-être dû s'y prendre autrement. Assis à côté de son dernier piquet, Victor réfléchit longtemps.

«Si j'avais réussi à voler les enveloppes de madame Belon, songe Victor, je n'aurais plus besoin de construire une clôture. Si ses enveloppes n'arrivaient jamais, si les gens du concours ne les recevaient jamais, elle ne pourrait jamais gagner.»

Mais comment aurait-il pu voler les enveloppes sous les yeux de Léonard? Si Léonard l'apprenait? Victor, un voleur! Non. Mais tout serait bien plus facile.

• • •

Les journées de juin sont très longues. Victor rentre tard, même si le ciel est encore clair derrière la forêt. Noir au-dessus de sa tête, bleu à la limite des arbres.

«Demain, il faudra prendre ma bicyclette. C'est trop loin pour retourner à pied. Je n'ai plus de temps pour la clôture», se dit Victor avant de s'endormir.

Aujourd'hui, il a dû marcher pendant deux heures avant d'arriver au dernier piquet planté la veille. Deux heures à suivre sa corde jaune jusqu'au nouveau point de départ. Et trois heures pour revenir après avoir planté moins de piquets que les jours précédents. C'est trop et c'est trop peu.

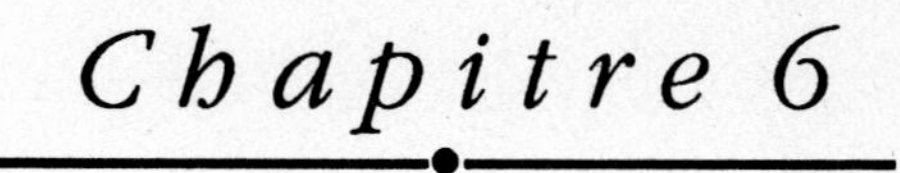
Chapitre 6

Dans les premières lumières du matin, Victor file vers son point d'arrêt de la veille, le presque trois centième piquet, pourrait dire Victor s'il savait compter.

Pas de soleil, rien que des brumes blondes et roses. Victor respire à pleins poumons l'odeur du gazon qui sent un peu le sel, celle que prend la terre seulement avant le jour.

La bicyclette grince sous le poids des piquets. Victor s'inquiète. Aujourd'hui, le voyage sera long et difficile. Il le sent au premier dérapage. Car s'il est facile de pédaler sur la falaise, c'est autre chose dans les descentes. L'herbe mouillée, la pierre glissante; sentiers humides et menaçants à cause de la boue, des cailloux et des branches cassées par le vent.

Le soleil n'est pas encore très haut lorsque Victor arrive, déjà épuisé, à l'endroit où il doit continuer à planter ses piquets. Il lui a fallu presque trois heures, à peine moins de temps qu'à pied.

Les brumes ont disparu. Victor sort son maillet et s'attaque à la tâche. Plante un piquet, attache la corde jaune, enfourche sa bicyclette, tire sur l'écheveau de corde qui s'emmêle, descend, tire un deuxième piquet du sac, l'enfonce à coups de maillet, remonte. Victor souffle. Au bout de quelques heures, après avoir pris le temps de manger un peu, il s'inquète tout à coup: le prochain piquet, c'est dans la pierre qu'il doit le coincer. Il faut trouver une façon de le faire tenir. Plus de terre, rien qu'une immense surface de pierre qui descend jusqu'au fleuve. C'est trop. Trop. «Trop!» crie Victor aux goélands qui tournent dans le ciel.

Il remonte sur sa bicyclette, regarde devant lui la pierre trop lisse.

Où trouver une fissure pour le prochain piquet?

C'est à ce moment-là que la bicyclette glisse tout à coup, emportée par le poids du sac et par celui de Victor qui ne la contrôle plus. Impossible de s'arrêter sur la pierre humide. Victor dévale la pente en hurlant, convaincu qu'il n'arrêtera jamais de glisser et qu'il sombrera dans le fleuve.

«Noooooon!» crie-t-il d'une voix qui contient toute l'horreur du monde. Le bruit de la bicyclette qui râcle la pierre, des piquets qui sortent un par un du sac en prenant les devants; Victor voudrait se boucher les oreilles.

Il ferme les yeux, pense au cochon Six en se disant qu'il ne le reverra plus jamais. Puis tout s'arrête.

Pas de choc, pas de coup. Victor ouvre les yeux. La bicyclette est sauve et lui aussi, au fond d'un fossé, dans les herbes folles et les fleurs froissées. L'écheveau de corde jaune s'est déroulé tout le long de la descente depuis le dernier piquet planté plus haut, là-bas derrière.

Victor se relève et contemple l'étrange paysage qui se dessine devant lui. Juste un peu plus haut, à la hauteur de ses yeux, entre le fleuve et lui, des rails de chemin de fer filent à l'infini, vers la gauche autant que vers la droite. Victor s'approche, hésite un instant, puis passe la main sur le rail.

«Un chemin en fer», se dit-il, intrigué. Il n'a jamais vu de rails, sauf à la télévision. Et pour Victor, la télévision ne raconte pas les vraies choses.

Pourtant, c'est sur un chemin de fer que viennent les trains, ces bolides qui sifflent à tue-tête.

Tout à coup, les idées vont trop vite dans l'esprit de Victor. Le sifflement du train, il l'entend le soir. Pas tous les soirs, seulement trois, précisément. Son père dit chaque fois: «C'est le train!» Mais jamais Victor ne l'a vu. Parce que le train passe au pied de la falaise, que les arbres cachent tout et que Victor a toujours eu trop peur de s'approcher du vide.

Alors, si le train passe en bas de chez lui, si le train roule sur les rails de fer, Victor pourrait peut-être rentrer chez lui en suivant le chemin du train et remonter par la falaise? Il hésite à le croire.

Il range un par un les piquets éparpillés dans le fossé, sauf un qu'il plante au bord de l'étrange chemin. Il y attache la corde jaune en tirant bien pour vérifier si là-haut tout a tenu quand même. Il en reste à peine, de cette corde qui doit retenir madame Belon.

• • •

Le courage vient de s'effacer dans le coeur de Victor. Plus assez de corde pour continuer. Puis, il faudra remonter jusqu'en haut de la falaise pour retrouver son chemin en traînant la bicyclette. Rentrer à la maison en sachant bien qu'il reste d'incroyables quantités de piquets à planter puisqu'il ne voit toujours pas venir le bord de la terre.

Victor ne pleure pas, mais fixe l'horizon, les yeux remplis de rage.

«J'aurai besoin de toute ma vie pour finir!» lance-t-il au ciel.

Comme un écho à sa voix furieuse, Victor entend venir un son. Oui, c'est bien un son qui s'en vient, qui s'approche très vite. D'où? Victor ne voit rien, ni dans le ciel, ni... Un train? Victor se jette dans le fossé avec le sac, la corde et la bicyclette.

À toute allure et dans un bruit d'enfer, passe sur le chemin de fer le plus étrange véhicule qu'on puisse imaginer: une plate-forme jaune montée sur quatre roues, comme un wagon sans coque, avec en son milieu une curieuse poignée à bascule actionnée par un homme qui hurle à Victor des mots incompréhensibles, avant de disparaître au loin.

«Elle va plus vite que moi, la petite chose jaune, se dit Victor. Plus vite que ma bicyclette, plus vite que ma voiture de course.»

Reprenant vite sa bicyclette, le peu de corde jaune et le sac de piquets, Victor décide de rentrer tout de suite, en suivant le chemin de fer.

Il risque le tout pour le tout: revenir par ce chemin qu'il ne connaît pas. Ce sera long.

«Tant que la falaise est au-dessus

de moi, se dit-il pour se rassurer, tant que le chemin suit le fleuve, je sais que je retourne vers la maison. Je trouverai bien un endroit pour remonter.»

Ce qui le décourage le plus, c'est de n'avoir pas compris qu'il aurait pu, depuis le début, planter ses piquets le long du chemin de fer en suivant le trajet du fleuve.

«Je sais, songe Victor en tirant sa bicyclette sur les rails... J'aurais dû marcher d'abord jusqu'au vrai bord de la terre et revenir en construisant la clôture. Sinon, je m'en vais n'importe où.»

Chapitre 7

Le lendemain, Victor dort plus tard que d'habitude. La veille, une fois de plus, il est rentré très tard. Tout était noir. C'est grâce à la lune qu'il a pu suivre le reflet des rails. Mais où remonter pour arriver chez lui? Victor ne le savait pas. Le coeur brouillé par la peur, il a cru voir un sentier, l'a suivi jusqu'en haut de la falaise et s'est retrouvé chez le troisième voisin.

Ses parents s'étaient finalement inquiétés, eux qui, d'habitude, laissaient Victor entièrement libre de ses allées et venues.

Lorsqu'ils l'ont vu entrer bien après le coucher du soleil, les mains écorchées, les vêtements un peu déchirés, ils se sont assis avec lui et, pendant que Victor mangeait distraitement, ils ont commencé à parler. Sans colère, sans hausser la voix. Ils parlaient lentement, chacun leur tour, comme les jours où il se passe des choses graves.

Victor avait la tête trop pleine de toutes les découvertes, des accidents et des émotions de la journée pour pouvoir comprendre leurs craintes.

Il était rentré vraiment trop tard, il passait ses journées à courir les champs à bicyclette, il ne disait plus où il allait: c'est ce que lui reprochaient ses parents. Il fallait voir à changer ces choses-là, lui demandait son père.

Ce matin, donc, Victor ne repart pas.

Il prend le temps d'aller à la poste, de faire les courses au village. Les enfants de Léonard courent derrière lui dès qu'ils le voient déboucher sur la grande rue.

— Victor, viens voir! Vite!

— Attendez un peu que j'aie fini les courses. J'irai vous voir après.

Victor aime bien s'arrêter chez Léonard. La chambre des enfants l'amuse.

Mais les deux têtes blondes insistent.

— Viens tout de suite! On a quelque chose à te montrer.

Pour leur faire plaisir, Victor se laisse entraîner dans la petite maison. «De la dentelle de bois», se dit Victor chaque fois qu'il passe devant chez Léonard. C'est la plus jolie maison du village.

— Où tu étais? demande le plus petit.

— Je travaille, répond Victor.

— Alors, il faut que tu arrêtes ton travail parce que nous, on ne te voit plus! déclare le plus grand.

Les deux enfants font entrer Victor dans leur chambre.

— Ferme les yeux! Serré!

Victor ferme les yeux pendant que les petits font craquer des papiers, des cartons. Ils ouvrent une boîte, c'est sûr. Qu'est-ce que c'est?

— Ouvre les yeux, maintenant! Regarde! C'est notre cadeau d'été! Nous, on a toujours un cadeau d'été!

Victor ouvre les yeux. Ce qu'il a devant lui, c'est une grosse boule de toutes les couleurs, montée un peu de travers sur un pied rond. Il y a toujours des jouets surprenants chez Léonard.

— Qu'est ce que c'est? demande timidement Victor en regardant de plus près.

— Un globe terrestre! s'écrient d'une même voix les fils de Léonard.

— À quoi ça sert? dit Victor.

— Ça sert à faire tourner les pays, dit le plus petit.

— Mais non, ça sert à savoir où sont les pays! C'est comme ça que la terre est faite. Ici, il y a chez nous... Là, c'est le plus grand désert du monde. Regarde le bleu! Il y a de l'eau partout.

— C'est un drôle de jouet, dit Victor, complètement troublé.

— Moi, ce que j'aime, c'est les tout petits pays parce que c'est joli, les couleurs. Et ça tourne très vite quand on lui donne un élan, dit le petit en riant.

Sous les yeux de Victor, le globe se met à tourner si vite que les pays se confondent avec les océans. La boule devient d'une très étrange couleur.

Victor sent son coeur battre à grands coups. Il serre les poings, ses tempes lui font mal; une très forte envie de pleurer lui monte à la gorge. Le globe terrestre lui fait peur. Si la terre est vraiment ronde, il est bien heureux d'habiter en haut. «S'il avait fallu qu'on tombe en bas de la boule, ça ferait longtemps qu'on serait tous tombés, mon petit Victor...» avait dit madame Belon.

— Alors, il n'y a personne dans les pays d'en bas... commence-t-il.

— Ils tomberaient! déclare le petit. C'est vrai, il doit y avoir des gens seulement dans les pays du dessus.

— C'est compliqué, dit le plus grand.

— Moi, dit Victor un peu rassuré, je pense que c'est pour jouer qu'ils ont fait la terre comme un ballon. Parce que pour vrai, quand on la regarde bien, elle est plate.

— C'est vrai, disent les petits, songeurs.

Et comme Victor ne leur raconte que des histoires vraies, ils le croient tout de suite quand il explique qu'en fait, ce serait beaucoup moins drôle d'avoir les pays sur un grand carton. C'est pour cela qu'ils ont fait la terre en forme de boule, sinon le jeu ne serait pas aussi amusant.

— Au moins, comme ça, on peut la faire tourner, ça prend moins de place, c'est plus amusant... dit Victor.

Lorsqu'il sort de la petite maison de Léonard, Victor ne sait plus tout à fait où il en est. Et si madame Belon avait vraiment raison?

— Tu reviens demain, Victor? demande le plus grand à l'oreille de Victor.

— Non, pas demain. J'ai mon travail.

— On s'ennuie des tours de bicyclette... dit le petit.

— Je n'ai pas le temps demain.

— Ton travail, c'est quel travail? demande encore le plus grand.

— C'est un travail secret, dit Victor.

— Nous, on ne dit jamais les secrets...

— Je contruis une clôture pour madame Belon, murmure Victor. Mais c'est une surprise.

— On ne lui dira pas, jurent les deux fils de Léonard, très sérieux.

• • •

Victor prend tout son temps pour terminer les courses. «La terre est étrange», se dit-il en rentrant à la maison. C'est au cochon Six qu'il en parlera.

— Il ne faut pas t'ennuyer trop, cochon. Je vais finir un jour, dit-il à Six en le berçant doucement. Et puis, tu as les poules si tu t'ennuies trop. Elles parlent fort, mais elles sont gentilles.

Victor passe une partie de l'après-midi à nettoyer sa bicyclette, à la vérifier minutieusement, car, après la chute d'hier, elle pourrait bien avoir quelques problèmes.

Ce n'est que vers quatre heures qu'il décide de descendre jusqu'au fleuve par la falaise. Victor redresse les épaules et marche bravement tout au bout du plateau. En ligne droite, toujours en ligne droite. Il descend rejoindre la portion de fleuve qui passe exactement en face de chez lui. Il pourra voir sa partie de fleuve, celle qu'il n'a jamais vue autrement que de haut. Il ira voir le chemin du train, le chemin de fer qui pourrait bien se rendre jusqu'au bout de la terre.

• • •

La descente est facile. Victor peut s'accrocher aux arbres. Même si aucun sentier ne parcourt cette descente abrupte, Victor sait qu'il ne se perdra pas. Il fait toujours face au fleuve, donc il est toujours vis-à-vis de chez lui. Sans corde jaune, sans repères, sans voir autre chose que des arbres et de l'eau, Victor sait où il va. Il marche entre les arbres comme à travers une forêt qu'il connaît. Et c'est avec une sorte de fierté qui lui gonfle le coeur qu'il rencontre enfin le chemin de fer, après moins d'une demi-heure de descente.

Tout lui paraît plus simple, comme si le chemin de fer faisait partie de son plan, comme s'il pouvait s'en servir, le longer pendant des jours jusqu'au bout du monde, sans jamais pouvoir se perdre puisqu'il n'aurait qu'à revenir sur ses pas pour rentrer chez lui.

Victor ne peut s'empêcher de traverser la voie ferrée pour aller voir de près ce fleuve qui lui ramène toujours son Pouchkine. L'odeur de l'eau l'attire. La fraîcheur le fascine.

C'est d'une main craintive qu'il effleure les premières esquisses de vagues. De si près, l'eau ne semble pas couler. Au contraire, on dirait qu'elle vient vers Victor, qu'elle respire régulièrement avec un léger chuchotement. Elle se retire aussitôt, revient, repart et revient à nouveau sans jamais s'arrêter. Victor regarde l'eau sans bouger. Il retire sa main doucement, comme s'il ne voulait pas que le fleuve s'aperçoive de sa présence. Parce qu'après il y a la mer, disent les gens. Et Victor ne voudrait pas être emporté, même si, de près, le fleuve lui semble calme et rassurant.

• • •

Lorsque Victor revient sur ses pas, il s'arrête, pétrifié par une vision: là, devant lui, masqué par des buissons, l'étrange wagon jaune qui filait sur les rails. Victor se précipite. Pourquoi l'homme l'a-t-il abandonné? Personne n'habite ici, il n'y a pas de maisons! Il tire et pousse sur le levier, rien ne bouge. Il fait le tour de la curieuse chose, sur la pointe des pieds pour ne pas faire de bruit. De l'autre côté, une énorme chaîne retenue par un très gros cadenas.

La chose! Celle qui lui a fait si peur mais qui l'attire tellement est là, devant chez lui, au pied de la falaise!

S'il réussit à faire bouger ce petit wagon, il pourra aller très vite et très loin pour planter ses piquets, ne pas trop se fatiguer comme le dernier jour et, surtout, ne jamais avoir à s'inquiéter de retrouver son chemin. «Un chemin en fer, c'est la chose la plus sûre du monde», se dit Victor en remontant sur le plateau.

Il court jusqu'à la maison en riant comme un fou, troublé et heureux à la fois, prend le temps de faire valser sa mère qui n'y comprend rien, mais elle a l'habitude.

Chapitre 8

— Tu rentres très trop tard, mon petit Victor! tonne une voix dès que Victor ouvre la porte de sa chambre.

Il n'est pas encore tard. Depuis des jours, jamais Victor n'est rentré aussi tôt.

— Allez-vous-en! souffle-t-il.

Victor a reconnu la voix, mais il ne voit personne. C'est le grigou qui a parlé. Où est-il?

— Allez-vous-en! répète Victor.

Il tourne la tête de tous les côtés. Pas de grigou.

— C'est très plus exactement dans un lit qu'habitent les personnes des rêves de la nuit! tonne encore la voix du grigou.

Victor s'approche de son lit et, aussitôt, les couvertures se gonflent, s'enflent comme sous l'effet d'un coup de vent et le grigou apparaît, dressé de toute sa grandeur, touchant presque au plafond. Il saute à pieds joints sur le sol et salue très bas son cher Victor.

Le grigou, oiseau gigantesque au bec rouge et crochu, ouvre ses immenses ailes à reflets gris et bleu et en enveloppe Victor qui se débat comme un diable.

— Allez-vous-en! souffle Victor. Je ne dors pas encore. Quand vous venez dans mes rêves, ça ne me dérange pas. Mais quand je suis réveillé, j'ai peur de vous.

— Heureusement que j'étais très plus là quand c'était le rêve de madame Belon qui tombait! murmure le grigou.

Victor se dégage puis le regarde, incertain.

— As-tu fini ton travail? demande l'immense bête.

— Non... Il faut que j'aille très loin. C'est long. C'est difficile. Plus je vais loin, plus je dois aller loin le lendemain pour continuer le travail. Et je n'ai presque plus de piquets.

Victor n'ose pas dire au grigou qu'il ne sait même plus s'il doit continuer la clôture. Mais il ne peut pas imaginer madame Belon, ni personne d'ailleurs, perdant pied et tombant dans un gouffre vide.

Le grigou s'assoit sur le lit de Victor et lui fait signe de venir s'asseoir près de lui. Victor secoue la tête. Qu'est-ce que le grigou fait dans sa chambre, alors qu'il ne dort pas encore? Jamais le grigou ne lui est apparu autrement que dans ses rêves. Depuis des années, le grigou s'installe au beau milieu d'un rêve. Mais le vrai, le grigou tout en plumes et en bec, en serres et en huppe, jamais, jamais Victor ne l'avait encore vu!

— Je peux t'aider, toujours... dit doucement le grigou.

Victor prend son souffle avant de lancer au grigou ce qu'il a dans la tête depuis l'après-midi.

Il lève lentement les yeux vers le regard de braise de l'oiseau magique.

— Il faut que je recommence. Ou que je continue. Mais il faut que je le fasse avec la petite machine. Elle fonctionne toute seule. Elle est jaune. Je l'ai vue de très près. Il faut que je la prenne pour aller plus loin. Autrement, quand j'arrive aux piquets, c'est le temps de revenir. Je n'ai plus le temps d'en planter.

Silence. Le grigou n'ouvre pas le bec, ne prononce pas un mot et regarde Victor. Victor s'assoit et ne parle pas plus que le grigou. Il s'installe devant sa table de travail où il a déposé en entrant dans sa chambre un morceau de melon, trois biscuits et un grand verre de jus.

— Mange, Victor! Mange et croque.

Victor prend une bouchée du melon, comme s'il ne pouvait qu'obéir aux ordres du grigou.

— La petite machine, c'est laquelle? demande le grigou.

— Celle qui roule sur le chemin en fer...

— Ah! C'est une très bonne idée, fait l'oiseau. Très plus bonne.

Victor mastique le melon, incapable d'avaler.

— Ce doit être un peu facile de prendre cette petite chose. Je le pense. Couche, Victor. Couche et dors plus.

Victor s'étend tout habillé sur son lit, retire ses bottes et ses chaussettes, tire le drap jusqu'à son cou et avale la bouchée de melon. Hypnotisé par les paroles du grigou, il ferme les yeux et s'endort presque aussitôt. Il a tout juste le temps de se dire que la conversation avec le grigou pourrait bien se poursuivre pendant son sommeil.

Lorsqu'il est bien sûr que Victor est endormi, le grigou s'assoit devant le melon et siffle très doucement pour ne pas éveiller Victor. Le grigou siffle encore, une seule note, longue, filée.

De sous le lit émerge aussitôt une forme aussi longue que la note filée du grigou, ondulante, frémissante, frissonnante. Et dans un bel éclat de rire, ses dents brillant dans la pénombre comme des perles fines, apparaît la serpente dans toute sa splendeur.

Belle, plus belle que tous les personnages de contes, que tous les animaux merveilleux inventés ou non, la serpente a toujours ébloui Victor. Elle hante ses rêves, elle aussi, depuis des éternités. Comme le grigou, mais plus rarement. La serpente n'apparaît dans les rêves que lorsque le grigou a besoin d'une aide particulière. Autrement, le grigou sait très bien se débrouiller.

Ce soir, il lui fallait la serpente, ici et tout de suite. Elle est apparue aussitôt.

— Merci, serpente. Vous êtes venue très plus vite. Vous allez? marmonne le grigou.

— Très, très bien, dit-elle dans un sourire. Et vous, mon cher grigou? Il y a longtemps qu'on a fait les rêves ensemble! Ça fait un petit moment, non? La dernière fois, attendez que je me rappelle... Oh! La dernière fois, vous aviez fait courir une montagne si je me rappelle bien.

— Écoutez-moi trop, serpente! coupe le grigou. Il n'y a pas le temps pour parler des souvenirs. Il faut que vous m'aidiez beaucoup. Victor veut faire complètement plus le tour de la terre avec des piquets pour empêcher madame Belon de sauter, de précipiter...

— De tomber, peut-être?

— Oui, serpente, de tomber. Parce

qu'il a dans sa tête que la terre est plate comme le dessous de mes pieds.

— De vos pattes, grigou. Ce sont des pattes que vous avez. Victor a des pieds. Vous avez des pattes.

— Vous allez m'aider plus?

— Oui, grigou. J'ai tout mon temps.

— Il veut prendre la petite chose qui n'est pas un train et qui roule sur les rails de fer...

La serpente s'approche lentement du lit de Victor. Elle se penche, ondulante, belle dame cobra charmeuse autant que charmante.

— Comme tu as grandi, mon petit Victor! dit-elle en soufflant doucement sur la mèche qui retombe sur le front de Victor endormi.

Le grigou, lui, s'affaire à préparer les bagages. Il fouille dans les tiroirs de Victor, en tire deux pantalons, trois chandails et trois chemises, des chaussettes et des caleçons, et enfouit ses trouvailles dans un sac de toile.

— Bon, fait-il. On prendra des choses à avaler dans la cuisine. Victor veut partir dans la petite machine jaune qui roule...

— Vous me l'avez déjà dit, mon cher grigou. Et cette petite machine, comme vous dites, s'appelle une draisine. C'est une très vieille chose, on n'en voit plus beaucoup de nos jours...

Le grigou souffle d'indignation. Il a horreur de ces moments où la serpente lui met les mots dans la bouche.

- Il doit falloir ceci pour ouvrir le cadenas qui retient la chaîne de votre petite machine? dit-elle en tirant de derrière sa tête une jolie clé d'argent.

Le grigou bougonne sobrement.

— Et ça aussi, on va très sûrement en avoir besoin! marmonne-t-il en tirant des dollars de sous ses plumes. Ça prend très plus des sous quand on part longtemps!

— Alors, nous avons tout! déclare la serpente.

— Victor va vouloir apporter ses paquets! souffle le grigou.

— Ses piquets, corrige la serpente.

— Et les parents? s'inquiète le grigou.

— Oh!

Le grigou prend une grosse craie bleue et trace lentement sur le tableau de Victor:

VICTOR EST PARTI. QUE PERSONNE NE BOUGE. À BIENTÔT. IL VOUS EMBRASSE TRÈS PLUS FORT.

Il recule de quelques pas, admire son écriture.

— Voilà, madame la serpente! Nous pouvons absolument partir.

— Seulement quand Victor se réveillera, grigou. Seulement quand il saura qu'il ne rêve plus.

Chapitre 9

Ce matin-là, c'est à quatre heures et demie qu'on peut voir, si on ne dort déjà plus, Victor, le grigou et la serpente, tous les trois assis en équilibre extraordinairement instable sur la bicyclette de Victor. La serpente devant, le grigou derrière et Victor entre les deux.

On pourrait les voir, en fait. Mais on ne les voit pas car, aux yeux de n'importe qui d'autre que Victor, la serpente et le grigou sont parfaitement invisibles. Ils n'existent que pour Victor et d'autres très rares personnes. Les seuls êtres humains capables de les voir sont ceux dont les rêves sont habités.

C'est ainsi qu'à quatre heures et demie du matin, on peut voir Victor rouler en zigzaguant à travers le champ du plateau, rire apparemment tout seul et parler à voix basse. Personne ne pourrait se douter qu'ils sont trois à voyager sur une seule bicyclette. Ni se douter non plus qu'ils conversent, s'amusent, rient comme des fous en essayant de retenir le bagage, les sacs de piquets qu'a fait apparaître le grigou, les nouveaux écheveaux de corde jaune, le panier rempli de choses à manger et quelques outils. On ne voit que Victor qui gesticule, qui éclate de rire, sans même tenir le guidon de sa bicyclette.

À cette heure-là, les lueurs s'avivent très vite au-dessus du fleuve. Le soleil va paraître dans moins d'une demi-heure et, déjà, les oiseaux le savent. Victor aussi. Il sait toujours où doit se trouver le soleil. Les odeurs montent, encore toutes fraîches. Celle du foin d'odeur, pour Victor, est l'odeur heureuse.

En s'éveillant vers quatre heures, Victor a tout de suite compris en voyant et le grigou et la serpente de chaque côté de son lit qu'il allait se passer quelque chose de parfaitement exceptionnel. Il avait suffi de parler au grigou du petit wagon jaune pour qu'il agisse. Sans délai.

Jamais pareil phénomène ne s'est produit. Jamais ni le grigou ni la serpente ne sont venus secourir Victor autrement que dans ses rêves.

Aujourd'hui, puisqu'ils sont là et qu'ils connaissent le secret du wagon jaune, il se passera de grandes choses; Victor terminera sans doute la clôture de piquets et il aura enfin le coeur en paix si madame Belon gagne l'un de ses fameux concours.

Au bord de la falaise, l'équipage met pied à terre. Victor guide la serpente pendant que le grigou suit, portant la bicyclette sur son dos. Ils disparaissent dans la forêt qui descend jusqu'au fleuve. Les odeurs sont encore humides, celles des feuilles mortes, des aiguilles de pin et des champignons fatigués.

C'est au pas de course que Victor parcourt les derniers mètres. Le wagon jaune est là, merveilleux petit engin qui lui fera faire le tour de la terre.

— Silence, Victor! souffle le grigou. Pas un vacarme, pas un mot! Il y a très plus de gens qui dorment et d'autres que non, qui pourraient t'entendre ou t'apercevoir faire ce que nous allons faire!

— Et ce n'est pas à nous, cette chose! précise la serpente. Elle ne nous appartient pas.

— C'est un vol? s'inquiète Victor.

— Non, puisqu'on va la ramener, répond la serpente. Mais j'avoue que ce n'est pas très honnête.

— Cela est absolument très honnête car c'est abandonné, dit le grigou.

— Non, grigou. Seulement attaché pour la nuit.

— Et si l'homme d'hier arrive? demande Victor.

— Justement, on se dépêche très vite pour ne pas se faire mordre.

— Mordre? souffle Victor.

— Il a voulu dire attraper, corrige la serpente.

Victor dissimule sa bicyclette dans les buissons.

Un tour de clé, un bon élan, les bagages hissés sur la plate-forme jaune, et les voilà partis dans les premières lueurs du jour.

Au village, madame Belon dort d'un sommeil de plomb. Léonard le facteur s'éveille lentement. Les parents de Victor vont se lever bientôt. Le cochon Six dort toujours, à peine troublé par les poules qui caquettent depuis le départ de Victor. C'est un très beau matin.

— J'ai tout compris! s'écrie Victor lorsque le wagon jaune les a déjà emportés très loin sur la voie ferrée. On va rouler comme ça jusqu'au bord de la terre et de là, on va revenir lentement en plantant les piquets... Vous avez eu la même idée que moi?

La serpente regarde le grigou d'un air troublé.

— Chut! Restez complètement plus calme, serpente. Victor va comprendre plus tard. Je l'espère trop.

— Et madame Belon ne pourra plus tomber! poursuit Victor, les yeux rivés sur les rails qui s'enfuient maintenant derrière lui à toute allure.

Le grigou hausse les épaules. La serpente sourit, digne et calme comme seules savent l'être les serpentes.

Chapitre 10

À sept heures, les parents de Victor ont constaté son absence. Ils sont restés médusés devant l'étrange inscription sur le tableau. Qui a pu écrire une chose pareille? Pas Victor, il n'écrit rien d'autre que les lettres de son nom. La bicyclette n'est pas là. Le cochon Six dort encore.

Normalement, les parents de Victor ne s'inquiéteraient pas puisqu'il lui arrive souvent de sortir avant l'aube. Mais ce sont ces mots tracés à la craie: «Victor est parti. Que personne ne bouge. Il vous embrasse très plus fort» qui les troublent autant l'un que l'autre.

À huit heures, madame Belon vient comme d'habitude s'asseoir devant chez elle, dans le charmant kiosque de bois blanc qui domine le fleuve. C'est là qu'elle sirote son thé, du printemps à l'automne, avant de disparaître dans les mousses de ses matelas.

Léonard sera bientôt aux boîtes vertes, à la croisée du rang et de la route.

À huit heures et demie, Joseph, le père de Victor, file vers le village, trop intrigué par cette étrange fugue. Il croise Léonard qui monte la côte sur sa mobylette.

— Léonard! appelle-t-il. Vous n'avez pas vu Victor?

Le facteur fait signe que non.

— Et si je le vois? demande Léonard en posant le pied par terre.

— Vous lui demandez de rentrer à la maison.

— C'est tout?

— C'est tout.

Dix minutes plus tard, le père de Victor entre dans le village. Madame Belon, toujours assise dans le kiosque, lui envoie la main avec un grand sourire. Elle est assise, telle une reine dans sa robe rose, entre deux enfants blonds à qui elle offre des carrés de sucre.

— Qu'est-ce qui vous amène de si bonne heure? demande-t-elle à Joseph.

— Vous n'auriez pas vu Victor? dit-il.

Madame Belon secoue la tête.

— Vous non plus? demande-t-il aux enfants.

Ce sont les rejetons de Léonard, qui viennent chaque jour croquer les sucres de madame Belon.

— Avec toutes ses promenades, vous devriez vous inquiéter plus souvent, hasarde madame Belon.

— Nous, on l'a vu! déclarent les deux petits d'une même voix.

— Où ça?

— On l'a vu hier, répond le plus grand des deux.

— Il n'a pas voulu nous faire faire un tour de bicyclette.

— D'habitude, il est plus gentil.

— Il a dit qu'il avait du travail.

— Quel travail? demande le père de Victor. Quel travail, il vous l'a dit?

Le petit regarde le plus grand. Ils soupirent fortement tous les deux, hésitant à répondre.

— Il a dit... Il a dit qu'il avait du

travail à faire pour madame Belon, dit le petit en détournant la tête.

— Non. Non! Il n'a rien dit du tout, déclare d'une voix trop forte le plus grand.

— Il l'a dit, mais c'est une surprise, insiste le petit avec un sourire timide.

— Victor travaille pour vous, madame Belon? demande Joseph en fronçant les sourcils.

— Oh! Mais non! Jamais, jamais, monsieur, je n'ai demandé de travail à votre Victor!

— Il l'a dit! insiste le petit.

— Il a dit qu'il faisait une clôture pour madame Belon et que...

— Une clôture? s'écrie madame Belon. Mais je n'ai pas besoin de clôture. Il raconte n'importe quoi, votre Victor!

— Qu'est-ce qu'il a dit d'autre? demande doucement le père de Victor aux deux petits.

— Il a dit qu'il ne pouvait pas nous emmener à bicyclette parce qu'il n'avait pas le temps de mettre les pédales à notre hauteur. Il a dit qu'il reviendrait bientôt et il nous a promis de nous faire faire un très grand tour plus tard. Mais pour madame Belon, c'est une surprise.

— Un grand tour plus tard... murmure le père de Victor.

— Mais vous devez être terriblement inquiet, mon pauvre monsieur! dit madame Belon. D'abord il vous ment, puis il disparaît!

— Il ne m'a pas menti, madame Belon, soyez polie! C'est aux enfants qu'il a parlé de cette clôture qu'il construit pour vous!

— Arrêtez de m'accuser avec cette clôture, monsieur! Votre fils est un... un...

— Mon fils ne me ment pas, madame.

Les deux enfants blonds n'osent plus ouvrir la bouche.

— Il va revenir, Victor, affirme timidement le plus petit.

— Il va revenir, oui, murmure Joseph. Il va revenir, c'est sûr. Ne vous inquiétez pas. Il se débrouille toujours, le Victor. Reste à découvrir où il est parti.

— Qui peut bien le savoir! s'exclame madame Belon, hautaine.

— Il va revenir, dit le plus grand des enfants, parce qu'il nous a promis un tour de bicyclette.

«Qui a bien pu écrire ces mots sur le tableau?» se demande pour la centième fois le père de Victor en traversant le village. Et à tous ceux qu'il rencontre, il pose la même question: «Avez-vous vu Victor?» Non, personne ne l'a vu.

«Et cette histoire de clôture pour madame Belon! Pourquoi Victor aurait-il inventé une chose pareille?»

Pendant qu'autour du village, tout le monde s'inquiète, Victor file toujours sur le chemin de fer, à plat ventre sur la draisine, hypnotisé par la régularité des rails et des dormants qui défilent sous ses yeux.

Au-dessus de lui, le grigou et la serpente actionnent comme une pompe le levier qui fait avancer le curieux wagon jaune.

— On est quand même très plus à l'aise dans cette petite machine que sur son engin à deux roues! déclare le grigou.

La serpente ne répond pas. Elle fixe l'horizon de son regard noir.

— Serpente, vous n'aimez pas très bien les voyages? demande le grigou.

— Monsieur le grigou, dit-elle à voix basse en se retournant vers lui, vous allez me dire tout de suite où vous voulez en venir!

— Tut, tut, tut, tut! Victor voulait très prendre cette chose à quatre roues pour aller plus vite. Nous allons vite, voilà. Depuis le temps qu'il rêve de nous, c'est beaucoup normal qu'on l'aide, non?

- Mais où tout cela va-t-il nous mener? siffle la serpente, l'air mauvais.

- Oh! Oh! Ne vous fâchez pas tellement, serpente! Vous le savez, je veux aller très plus loin pour faire comprendre à Victor que...

Le grigou a parlé trop fort. Victor lève la tête.

— On arrive bientôt? demande-t-il, confiant.

Le grigou hausse les épaules et détourne la tête comme s'il n'avait pas entendu.

À son oreille, la serpente chuchote, presque furieuse:

— Vous ne trouvez pas qu'on exagère? À quoi cela sert-il de le faire attendre?

— Taisez-vous, serpente! répond

le grigou, très bas. Je dis que nous allons trouver un quelque chose pour lui faire comprendre que la terre est boule.

— Que la terre est ronde! Et vous pensez que c'est facile! réplique la serpente entre ses dents.

— J'ai peur! fait Victor, les yeux rivés sur le fleuve qui coule maintenant juste à côté d'eux.

— Il ne faut pas avoir peur, Victor, dit la serpente en s'assoyant près de lui.

— J'ai peur qu'on arrive trop vite au bout de la terre. J'ai peur qu'on tombe. On est trop loin. Je ne pensais pas qu'il fallait s'en aller si loin de tout. Ce n'était pas une bonne idée de partir comme ça.

— On ne peut pas se perdre, Victor. Le grigou va toujours pouvoir nous ramener si jamais on se perd.

— Il va nous ramener comment? demande Victor, incrédule.

— C'est un vieux rusé, le grigou. Il a des moyens, tu sais. Il a l'air bougon, comme ça, mais il sait faire des choses é-ton-nan-tes!

— Mais pendant que vous parlez

très ensemble, il pompe, votre vieux grigou, il pompe pour faire avancer cette machine jaune! Il pompe très tout seul! lance le grigou, vexé.

Victor éclate de rire.

— Ne vous fâchez pas, grigou, je vais pomper avec vous!

Il s'agrippe au levier et se laisse entraîner par le mouvement régulier de bascule.

— En haut! En bas! En haut! En bas! crie Victor en riant. Vous allez voir, grigou, on va aller bien plus vite comme ça! Il faut que la serpente se repose.

— Et toi, marmonne le grigou, il va falloir que tu comprennes très plus avant qu'il ne soit trop exagérément tard!

— Parlez plus fort! Je n'entends pas! Ça fait trop de bruit, tout ce métal! hurle Victor.

— Rien, je n'ai rien beaucoup dit du tout, crie le grigou à l'oreille de Victor.

La serpente se laisse dorer au soleil, encore un peu fâchée. Victor pompe avec le grigou en admirant une chute qui s'écrase au pied de la montagne; le grigou lui-même se laisse émouvoir par les reflets du soleil sur le fleuve. On traverse un tunnel, sous la montagne, noir, humide, ruisselant de partout. Victor s'accroche à la serpente, mais elle le rassure pour la centième fois.

— Ne t'inquiète pas, mon petit Victor. Regarde là-bas, c'est le ciel qu'on voit! dit-elle.

Après le tunnel, apparaissent des falaises de fleurs, comme si le rose, l'orangé et le jaune déferlaient d'en haut en grandes vagues tendres.

Tout à coup, après des heures de voyage, le wagon jaune s'arrête net.

Victor est projeté sur la serpente, qui pousse un cri d'effroi.

Le grigou tourne vivement la tête à gauche et à droite.

Rien, plus rien devant, plus de rails, plus de chemin de fer. Seulement un butoir, énorme morceau de fer indiquant trop clairement que la voie ferrée se termine ici.

— Terminus! Terminus! Tout le monde il descend! lance le grigou.

Il bondit sur le sol, léger malgré sa gigantesque taille, tend la main à la serpente, puis à Victor, pour les aider à descendre.

— Ce n'est pas le bout de la terre! dit Victor d'une voix sourde. Ça continue plus loin, encore beaucoup plus loin.

— Silence! tonne le grigou.

Victor voudrait n'être jamais parti.

Chapitre 12

— Victor, il faut absolument bien que tu ailles demander où nous sommes rendus et ce qu'il faut faire pour aller très plus loin, déclare le grigou d'un ton sévère.

Victor ne répond pas. La gorge sèche, les dents serrées, il est incapable d'ouvrir la bouche. Il voudrait bien savoir, lui aussi, où ils sont rendus. Il se sent tellement loin du cochon Six, de sa maison, de son plateau et de sa falaise, du morceau de fleuve qu'il connaît. Et à qui demander? Il n'y a personne, ni rien qui ait l'air d'une maison.

Devant eux s'étendent en larges vallons des champs blonds, des champs verts, bordés de fleurs jaunes. Un chemin, un seul, tout droit vers l'infini, passe entre deux champs, large ruban de terre presque rouge qui disparaît là-bas, très loin. On sent une odeur de mer.

Victor ne s'est jamais perdu. Il a presque toujours su où il allait, où il était. La seule chose dont il peut être absolument sûr, c'est qu'il est près de six heures, qu'ils ont roulé à toute allure depuis le lever du soleil et qu'ils doivent donc être extrêmement loin de la maison. Le soleil est moins dur, maintenant. L'odeur des champs est aussi sucrée que le matin.

Victor a faim, Victor a soif et il voudrait pleurer. La serpente lui tend deux oranges et des biscuits.

— Il faut que tu demandes, Victor, où nous sommes très rendus, répète le grigou.

La serpente lui jette un regard de feu.

— Je ne veux pas y aller, dit Victor entre ses dents. Je ne sais même pas à qui demander. Il n'y a personne. Allez-y vous-même!

— Victor, fait la serpente, il faut que ce soit toi qui demandes, parce que nous...

— Parce que nous... répète le grigou.

— Parce que quoi? hurle soudain Victor. J'en ai assez de vos secrets, de vos regards dans mon dos! Vous pensez que je ne vois rien. Je sais bien que vous êtes aussi perdus que moi!

— Victor, Victor! crie le grigou encore plus fort que lui.

— J'en ai assez parce que je vous ai crus! J'ai pensé que vous alliez m'aider à trouver le bout de la terre et...

— Victor, coupe doucement la serpente. Il faut que tu trouves quelqu'un à qui demander où nous sommes parce que nous, nous sommes invisibles!

Victor ouvre la bouche sans pouvoir émettre un son.

— Oui, mon petit Victor, continue la serpente. Nous sommes tous les deux in-vi-si-bles!

— Non, parce que je vous vois, déclare Victor, exaspéré.

— Tu nous vois, toi. Mais personne d'autre que toi ne peut nous voir. Nous existons pour toi. Pas pour les autres.

— Invisibles... En plus, vous êtes

invisibles! crie Victor en se jetant sur le grigou. Mais c'est comme si j'étais tout seul! Vous êtes des monstres, des personnes épouvantables, d'horribles animaux!

La serpente s'enroule, ferme et douce, autour de Victor pour l'empêcher d'arracher toutes les plumes du grigou. Victor hurle de rage, se débat sans parvenir à se défaire de l'étreinte de la serpente.

Elle siffle doucement à l'oreille de Victor, longtemps, sans chercher son souffle, jusqu'à ce qu'il se détende et qu'il s'affaisse enfin au bord du fossé.

— Allez-vous-en! Laissez-moi tout seul! crie-t-il encore en sanglotant. Vous êtes mauvais, mauvais et méchants.

Victor pleure en pensant à son père, à sa mère et au cochon Six, à madame Belon qui peut bien tomber en bas de la terre, maintenant. Il ne peut plus rien pour elle, ni pour personne qui pourrait vouloir faire le tour du monde.

— Je retournerai chez moi tout seul! crie Victor. Je prendrai le wagon jaune et je pomperai jusque chez moi.

— C'est trop plus dur pour toi, dit le grigou. Tu ne pourras pas jamais.

— Je marcherai à pied sur le chemin en fer, s'obstine Victor. Je ferai le chemin à l'envers. Tout seul. Même s'il faut des jours à pied. Mais je ne veux plus vous voir, jamais, jamais, jamais! ajoute-t-il avant d'éclater en sanglots.

Le grigou se couche dans le fossé, les ailes par-dessus la tête, ne sachant plus quoi répondre. La serpente s'assoit à côté de Victor, patiente, attendant qu'il ait pleuré toutes ses larmes.

Tout à coup, le grigou dresse la tête. Il se lève d'un bond et bat l'air de ses grandes ailes.

— Vous n'allez pas vous envoler? demande tout bas la serpente.

— Taisez-vous! J'écoute très beaucoup! J'entends un quelque chose...

— Quoi donc?

— Un quelque chose qui grince, par là, loin, très plus loin sur le chemin rouge.

Chapitre 13

La serpente a consolé Victor, lui a juré qu'elle ne l'abandonnerait jamais même s'il ne voulait plus la voir.

Le grigou a marmonné quelques excuses et ils sont repartis tous les trois, laissant là le wagon jaune et se décidant enfin à suivre le chemin rouge entre les champs infinis. Victor a essuyé ses larmes. Le grigou s'est chargé des bagages.

C'est ainsi qu'après une heure de marche sur la terre brûlée par le soleil, ils comprennent enfin d'où venait le bruit perçu par le grigou.

— Ah! Mais vous avez l'oreille très fine, s'exclame la serpente.

Juste un peu plus loin au bord de la route, Victor aperçoit un petit monsieur, à peine plus grand que lui, vêtu de noir de la tête aux pieds, un curieux chapeau rond sur le dessus de la tête. Il tient dans une main un pot de peinture rouge et dans l'autre un long pinceau. Avec beaucoup de méthode, il peint à petits coups une girouette à hélice.

— Va lui demander, Victor, supplie la serpente.

— Il ne nous voit pas, il ne peut pas nous voir, dit le grigou. Demande-lui très où nous sommes et fais comme si tu étais exactement sans nous.

Victor s'avance, tendu, très nerveux, vers le petit monsieur.

— Bonjour, monsieur.

Le petit monsieur se retourne vivement.

— Bonjour, fait-il avec un regard interrogateur.

— Monsieur, pourriez-vous me dire où nous sommes rendus, s'il vous plaît?

Le petit monsieur ouvre de grands yeux, bien curieux de savoir qui est ce «nous» dont parle Victor. Puis il éclate de rire.

— Au bout du monde, mon petit

jeune homme! Au bout du monde!

— Au bout du monde? Avez-vous entendu? s'exclame Victor en se retournant vers le grigou et la serpente, invisibles aux yeux du petit monsieur.

— Au bout de la terre? demande encore Victor.

— Au bout de tout! insiste le petit monsieur avec un grand sourire. Après ça, plus une maison, plus personne, plus rien! Fini! Hop! C'est moi le dernier!

Il éclate encore de rire comme s'il venait de jouer le meilleur tour de sa vie. Mais il continue à observer Victor d'un air plus qu'intrigué. Que peut bien faire ici cet enfant égaré qui semble parler à des gens invisibles?

— Le bout de la terre... répète Victor, extasié.

— Le bout de la terre? Si tu veux, fait le petit monsieur. On peut toujours être au bout de la terre, poursuit-il pour lui-même.

Victor contemple l'horizon, enfin heureux de savoir qu'il a atteint son but. C'est d'ici qu'il faut repartir pour planter ses piquets. C'est d'ici qu'il pourra faire le tour de la terre.

Dans son dos, le grigou et la serpente se regardent avec des airs effarés. La réponse du petit monsieur vient tout compliquer. S'il y avait une chose qu'il ne fallait pas dire à Victor, c'était bien ça! Pourquoi a-t-il parlé du bout du monde? De quoi se mêle-t-il, ce monsieur à chapeau, avec son pinceau et sa girouette à hélice?

— Quand on dit des n'importe quoi, souffle le grigou à l'oreille de la serpente, on fait très mieux de ne pas parler.

— Nous sommes dans un beau pétrin, mon cher grigou, un beau pétrin! répond tout bas la serpente.

Victor remercie le petit monsieur et poursuit son chemin, faisant de joyeux signes de la main au grigou et à la serpente pour qu'ils le suivent jusqu'au bord de la terre, tout proche maintenant.

Le petit monsieur regarde partir l'étrange garçon, le pinceau en l'air, se demandant bien à qui il fait des signes, à qui il parle et à qui il lance ses extraordinaires sourires. «En tout cas, il m'a l'air bien heureux», se dit le petit monsieur.

— Serpente, serpente, expliquez-moi plus pourquoi il a dit ça, que c'est le bout du monde! chuchote le grigou à l'oreille de la serpente.

— Il a tout simplement voulu dire qu'au bout du chemin, il n'y a plus rien, grigou! Vous, quand vous décidez de ne pas comprendre! Le chemin s'arrête, il n'y a plus de maisons, c'est tout. Ouvrez donc vos grands yeux! Vous voyez bien que ce chemin-là ne mène nulle part. Et d'ailleurs, ça sent la mer... Après la colline, là-bas, il doit y avoir la mer.

— Oh! grogne le grigou. On ne s'en sortira pas très plus facilement.

— Oh oui! On va s'en sortir. Et grâce à vous, mon cher grigou! C'est votre idée! Trouvez vite une solution! fait la serpente avec le plus charmeur de ses sourires.

Victor s'approche, le regard noyé dans l'horizon.

— Il l'a dit! répète-t-il à la serpente. Il me l'a dit que c'est le bout de la terre... Vous voyez bien qu'on l'a trouvé!

La serpente serre les dents et tremble de colère. Ah, ce grigou avec ses idées folles!

Mais Victor poursuit :

— Si c'est ici le bout de la terre, il n'y a plus rien de compliqué. On n'a qu'à revenir à reculons jusque chez madame Belon en plantant les piquets et...

— Victor! rugit le grigou. Victor! Ça suffit tout à fait!

— Mais il a dit que...

— Il a dit! Il a dit! tonne le grigou. Victor! Il n'y en a jamais eu de bout du monde! Il n'y en a pas! Il-n'y-en-au-ra-ja-mais!

Victor devient de pierre. Debout devant le grigou, les bras le long du corps, le regard vide et la bouche entrouverte comme si les mots s'étaient arrêtés au bord de ses lèvres, Victor ne bouge plus.

Il ne pleure pas.

— La terre, continue le grigou comme s'il n'allait plus jamais se taire, la terre, c'est très fait en forme de boule. C'est rond, et ça tourne tellement très bien que personne ne peut du tout tomber en bas. Personne du tout! Ni toi, ni moi, ni la serpente, ni madame Belon. Je pensais que tu aurais compris un peu plus très tôt...

— Vous n'avez pas voulu me le dire avant... articule difficilement Victor.

— Pour que tu trouves, Victor! Pour que tu trouves très toi-même. Ce n'est pas tout de chercher, il faut trouver des fois, plus, plus, plus...

Victor se tourne lentement vers la serpente, cherchant des yeux un secours ou une explication.

— Alors, les gens qui habitent en bas...? murmure Victor.

Elle lui sourit doucement.

Est-ce un clin d'oeil que Victor croit apercevoir? Un éclair de tendresse? Ou un signe qu'il ne comprend pas?

Chapitre 14

Les gens du village ont vite compris l'angoisse de Joseph. Chacun veut l'aider, trouver des indices, fouiller la mémoire des derniers jours. Malgré cela, Joseph n'apprend rien de plus que ce qu'il sait déjà. C'est à grands pas qu'il entre dans le bureau de monsieur Blaise, chef de la police, déjà au courant de la disparition de Victor.

— Monsieur Blaise, il faut les hélicoptères! Il faut survoler toute la forêt, les rives du fleuve! s'écrie Joseph, épuisé.

— Calmez-vous, calmez-vous! lui dit le chef de police. Il va revenir. Vous savez très bien que Victor est assez grand pour retrouver son chemin.

— Grand! Oui, il est grand, Victor.

On n'a pas besoin d'être petit pour se perdre! Et un accident? Qu'est-ce que vous faites des accidents?

— Donnez-lui encore quelques heures, monsieur Joseph.

— Mais la nuit va tomber!

— Tous nos hommes fouillent, rassurez-vous.

— Monsieur Blaise, je vous répète qu'il faut les hélicoptères! gronde Joseph. Il va loin, Victor, quand il se promène!

— Victor est parti depuis ce matin seulement!

— Ça, personne ne peut l'affirmer! Il était parti ce matin, mais il est peut-être disparu bien avant! Qui peut le prouver?

— Mes hommes seront bien plus efficaces cette nuit que des hélicoptères.

— Et comment expliquez-vous la phrase du tableau? Comment? Vous savez comme moi que Victor ne sait pas écrire autre chose que son nom. Et c'était drôlement écrit! Donc quelqu'un d'étrange est entré dans la maison sans faire de bruit, et Victor l'a suivi de gré ou de force.

— Si c'était un enlèvement, Victor aurait crié, mon cher monsieur Joseph. Il se serait débattu, il vous aurait réveillés! Réfléchissez!

— Si ce n'est pas un enlèvement, c'est pire! En plus, ils ont pris des choses à manger dans la cuisine, des vêtements pour Victor... Et la bicyclette a disparu!

• • •

Dehors, la tension monte. Qui a vu Victor? Quel est ce mystérieux travail qu'il devait faire pour madame Belon?

On a interrogé les fils de Léonard: rien de plus que la première fois. Ils répètent que Victor va revenir parce qu'il leur a promis un tour de vélo.

Quand? Demain. Donc il va revenir.

Madame Belon s'est enfermée chez elle, blessée dans sa dignité par trop de soupçons. On la soupçonne, elle!

Il faut Léonard pour la convaincre d'aller au poste de police, et c'est au bras du facteur qu'elle traverse le village sans jeter le moindre regard sur la foule qui l'observe.

— Madame Belon, dit le chef de police, comprenez bien qu'il faut tout nous dire...

— Je n'ai rien à dire! Rien, m'entendez-vous? Rien!

— Victor devait travailler pour vous...

— C'est faux! Tout ce qu'il y a de plus faux, s'écrie-t-elle.

— Madame Belon, les enfants de Léonard n'ont pas pu inventer une chose pareille...

— Et pourquoi pas? Deux petits monstres! Je leur donne des carrés de sucre tous les matins et voyez le résultat: ils me trahissent! Ils me traînent dans la boue!

— N'exagérons rien...

— Je n'exagère pas! lance-t-elle d'une voix de furie. Moi, honnête, généreuse, travaillante! On m'accuse de mentir! On m'accuse de faire travailler ce Victor...

— On ne vous accuse pas, madame Belon, on vous interroge.

— C'est pareil, monsieur Blaise.

— Tout ce que nous voulons savoir, c'est de quel travail il s'agit.

— D'aucun travail! hurle madame Belon. Je n'ai jamais demandé à Victor de travailler pour moi. Jamais, m'entendez-vous? Je rembourre très bien mes matelas toute seule!

— Voudriez-vous, s'il vous plaît, prendre ce morceau de craie et écrire sur le tableau que vous voyez là les mots que je vais vous dicter...

— Non! Je refuse.

— Écrivez: «Victor est parti»...

— Jamais!!!

— Madame Belon, ne m'obligez pas à utiliser les grands moyens.

— On me traite comme une criminelle! Je veux un avocat! Immédiatement, sinon je crie.

Chapitre 15

Le grigou et la serpente ont compris qu'il valait mieux laisser Victor seul un moment. Les mots ne serviraient à rien.

— Vous auriez pu lui dire plus gentiment, gronde la serpente.

— Vous êtes très plus fâchée, je le sais, répond le grigou. Mais il fallait qu'il comprenne un peu! On ne peut pas sans arrêt avancer pendant des jours pour montrer qu'il n'y a pas plus de bout à la terre.

— Mais vous avez parlé trop fort, trop vite et trop durement.

— Madame la serpente, je vous fais plus d'excuses et de tout ce que vous voudrez.

— C'est à Victor que vous ferez des excuses, grigou. Moi, je n'en ai pas besoin.

La serpente détourne la tête. Le grigou comprend très bien qu'elle ne parlera plus tant que Victor ne sera pas revenu auprès d'eux.

Victor marche lentement sur le chemin, gravit la colline et s'arrête tout à coup, le coeur serré comme dans les trop grands bonheurs. C'est elle!

Sans avoir besoin qu'on lui explique et même s'il ne l'a jamais vue, il sait que c'est la mer. Ce n'est plus le fleuve. Elle est trop vaste, elle est trop grande, elle ne coule pas, elle domine. Calme. C'est la mer.

Passé la dune couverte d'herbes fines, très vertes et rudes comme des langues de chat, le sable descend jusqu'aux vagues. Des vagues de sable aussi, plus serrées, sur la plage.

Très loin à gauche, la mer creuse la terre, les vagues glissent plus longtemps sur le sable. Et de l'endroit où se forme cette baie toute ronde monte une brume grise, légère comme les fumées de cinq heures à l'automne.

Victor n'a jamais cru que la mer pouvait être aussi vaste.

Du bout du chemin qui se perd dans la dune, Victor contemple cette mer qu'il n'avait jamais vue. Incroyable masse bleue, grise et noire sous le soleil qui tombe. Mouvante, frémissante, elle vient se faire et se défaire.

Victor marche doucement jusqu'au sable mouillé.

Très lentement, il enlève ses bottes et ses chaussettes, et les abandonne là.

Comme on s'avance vers quelqu'un qui nous aime, Victor marche dans les premières vagues, souriant, heureux d'entendre ce bruit dans son oreille. Un chuchotement qui se brise en douceur, puis un autre, et un autre. Pour toujours, dirait-on. À peine un silence de quelques secondes quand une vague a oublié de se gonfler.

«La mer est plate, remarque Victor. La mer est plate. Au bout de la terre, j'ai trouvé la mer.»

L'odeur l'étonne, plus forte que celle du fleuve. Il caresse des doigts les vagues qui se couchent à ses pieds.

«Du sel, se dit-il en léchant le bout de ses doigts. La mer est plate et elle goûte le sel.»

Victor sourit, immobile devant la deuxième partie du monde, celle qu'il ne connaissait pas.

• • •

Le soir tombe très lentement. Du haut de la colline, le grigou et la serpente regardent Victor revenir à pas lents.

— Il va faire noir, dit Victor d'une voix sourde. Il va faire noir, le ciel est mauve.

— Il faut très plus manger, dit le grigou, mal à l'aise.

Pendant que le grigou sort du panier un poulet, un pain et des oranges, la serpente tend à Victor un chandail de grosse laine bleue.

— Et remets tes souliers, dit-elle d'une voix douce. Tu vas prendre froid.

Victor mange distraitement les ailes du poulet.

— J'aurais dû moins te parler plus fort, murmure le grigou.

— Il faut rentrer, dit Victor. À la maison.

— J'aurais dû moins te parler plus fort, répète le grigou.

— Non, grigou. Je n'ai pas compris, c'est tout. Ni ce que madame Belon voulait dire, ni le globe terrestre.

— Et maintenant, tu comprends? demande le grigou subitement réjoui.

Victor lève les yeux vers la serpente. De grosses larmes coulent sur ses joues. Elle se penche vers lui, passe la main dans ses cheveux, exactement comme le fait la mère de Victor quand il est triste.

— Non, je n'ai rien compris, dit Victor d'une voix qu'on entend à peine. Je ne comprends pas. La terre chez moi est plate comme une main. Plus loin, elle monte et elle descend, elle fait des montagnes. Ça, je l'ai bien compris. Mais la mer est plate! J'ai regardé. J'ai regardé longtemps. Elle est plate, elle ne fait pas de montagnes, et elle bouge toujours.

— C'est très pour ça que madame Belon ne peut pas jamais tomber en bas de la terre! Quand on arrive à l'eau, on s'arrête.

— Et les bateaux? demande Victor. Et les avions?

Le grigou soupire. Il se tourne, désespéré, vers la serpente. Non,

Victor n'a rien compris. Ses explications n'étaient pas les bonnes. Il lui a pourtant dit très clairement que la terre était ronde.

— Je suis sûr que madame Belon peut encore tomber si elle fait le tour du monde, dit Victor. Même si vous me dites que la terre est ronde.

— Alors, dit la serpente. Alors... il ne reste qu'une seule chose à faire. Et monsieur le grigou sait très bien de quoi je veux parler...

Le grigou ne répond pas, mange avec obstination les os du poulet et les pelures d'orange. Oui, le grigou sait très bien de quoi parle la serpente. Mais c'est difficile! Très difficile à réussir, surtout à son âge.

— Puisque je vous dis que vous n'avez rien à perdre, insiste la serpente.

— Ça fait très plus longtemps que je n'ai pas essayé. Et quand on a quelques centaines d'années comme moi...

— Oh, grigou! Nous sommes encore jeunes! lui répond la serpente. Amusons-nous un peu!

Victor ne pleure plus. Ce qui se prépare l'inquiète tout à coup.

— N'aie pas peur, Victor, lui souffle la serpente. Cette fois-ci, tu vas comprendre.

Et se tournant vers le grigou, elle ajoute :

— Il suffit de trouver la bonne façon d'expliquer, n'est-ce pas?

Le grigou essaie d'étirer le temps. Il soupire encore, ramasse les miettes, plie la nappe, bouche la bouteille d'eau. Il range soigneusement les bagages, vide le panier et en vérifie les attaches.

— Si ça marche, dit Victor, madame Belon pourra partir?

Le grigou hoche la tête.

— Et je n'aurai plus besoin de faire la clôture?

Le grigou hoche encore la tête, un peu plus vite, un peu plus fort.

— On pourra arrêter de planter des piquets? demande Victor en contemplant le sac.

— Oui, mon petit Victor, dit la serpente en riant.

— Et maintenant, que tout le monde se taise très très plus! ordonne le grigou.

La serpente fait asseoir Victor tout

près d'elle, pendant que le grigou commence à souffler très doucement entre les pointes rapprochées de ses ailes. On l'entend roucouler pendant qu'apparaît entre ses plumes... une bille, une bulle, un ballon? La bulle tient sur la pointe de l'aile et se gonfle, toujours plus belle, toujours plus grande. Du bout de son bec, le grigou arrache deux plumes bleues qu'il tend à Victor, puis à la serpente.

Il tient délicatement la bulle au-dessus du panier. Puis il fait signe à Victor de poser la main sur le bord du panier. Victor hésite... Et si, en touchant la bulle, tout explosait? Le grigou insiste, magicien silencieux. Victor appuie sa main sur le bord du panier; la serpente fait de même et le grigou aussi.

Il fait presque noir. Brusquement, le grigou se met à parler d'une voix changée.

— C'est rond, dit-il en montrant la bulle qui ne cesse de grossir et qui se met à tourner sur elle-même au-dessus du panier. C'est rond et ça tourne. On n'a jamais vu un rond avec un bout, non? Comme la boule de la terre! C'est rond et ça tourne tellement très bien que personne jamais ne peut tomber en bas. Je l'ai déjà dit, je l'ai toujours dit!

Victor se laisse hypnotiser par les paroles du grigou. Sa main n'a pas quitté le panier. Le grigou se remet à roucouler.

Tout est immobile. Même le soir ne bouge plus.

Tout à coup le grigou se met à respirer très vite, de plus en plus vite, pendant que la bulle devient beaucoup plus grosse que lui. Au moment où Victor sent qu'il va se mettre à hurler de peur, un mugissement lui emplit les oreilles. Il ferme les yeux. Il ne sent plus le sol, tout bouge, oscille et tremble. Le vent lui souffle durement au visage. La bulle les emporte! Il crie, il hurle pour faire sortir l'immense peur qui lui déchire le coeur.

• • •

— Ouvre les yeux, Victor! Regarde vite! dit la serpente.

Victor obéit, mais, de frayeur, il referme aussitôt les yeux.

— Regarde plus! ordonne tendrement le grigou, fier d'avoir réussi l'expérience.

Victor regarde enfin.

Ils sont tous les trois dans un étrange panier, semblable à celui du repas, mais plus grand, attaché sous la bulle maintenant gigantesque. Ils volent au-dessus de la terre, au-dessus de la mer, dans les dernières lumières mauves du soir qui finit de tomber.

Plus bas, des champs, des maisons, des voitures, des lumières qui s'allument ici et là, les unes après les autres, et qui rapetissent à vue d'oeil.

Victor éclate de rire. Il pourrait tout aussi bien fondre en larmes sur l'épaule de la serpente. Le panier monte très vite, s'éloignant de la terre, de la mer et des hommes. Le vent n'existe plus. On n'entend plus qu'un souffle, comme si la bulle respirait doucement.

Sous Victor, tout se fait si petit qu'il doit plisser les yeux pour arriver à distinguer encore des maisons, des villages, des villes peut-être? Ils volent maintenant dans la nuit noire, perdus dans une immensité d'étoiles, toujours plus haut, toujours plus loin de la terre.

Et c'est à ce moment-là que Victor crie encore une fois.

— C'est la terre? Elle est ronde!

Il secoue le grigou à pleines mains, saute sur place, embrasse la serpente, se penche par-dessus le bord du panier en continuant de crier :

— C'est la terre! Plus on monte, plus elle est ronde! La terre est devenue ronde! C'est madame Belon qui avait raison!

Le grigou souffle vers le haut et la bulle arrête aussitôt de monter. Leur étrange vaisseau se laisse porter à bonne altitude, tournant autour de la terre comme une lune de plus.

La serpente, patiente, explique toute la rondeur de la terre. Oui, elle est ronde et elle tourne autour du soleil qu'on voit là-bas tout à coup. Et pendant qu'on dort dans le village de Victor, des personnes se lèvent ailleurs, là, en bas, d'autres mangent, travaillent et vont à l'école, d'autres plus loin se préparent à dormir.

• • •

Trois fois, ils font le tour de la terre, observant le jour apparaître, disparaître. La nuit prend sa place et repart aussitôt. Trois fois, Victor s'étonne et s'émerveille en prenant le temps d'examiner cette terre, la sienne et celle de tant d'autres gens. De la voir ainsi de loin lui donne l'impression qu'elle lui appartient. Les pays passent les uns après les autres, on survole les deux pôles, les immenses forêts où pas une maison ne se laisse apercevoir, des villes énormes si on peut les voir d'aussi haut, les océans, bien bleus, immenses.

— Regarde bien, Victor! dit le grigou. Là, très en bas, sur le grand morceau blanc, il y a la terre Adélie. J'aimerais très plus y aller un jour. C'est blanc, c'est calme, il n'y a personne et il fait un bon froid.

— J'aimerais bien vous accompagner, dit la serpente.

— Et j'irais avec vous? demande Victor très vite avant que l'Antarctique disparaisse.

Lorsqu'ils repassent au-dessus de chez Victor, le grigou souffle encore une fois vers la bulle.

— Tu as tout vu, Victor, très plus vu.

— J'ai compris, murmure Victor. C'est beau.

— Tu as très compris, ajoute le grigou.

— Et madame Belon pourra partir en faire le tour autant de fois qu'elle voudra, ajoute Victor en riant. Si tous les gens en bas restent attachés sans tomber, madame Belon ne tombera pas non plus.

Silencieux maintenant, Victor observe de tous ses yeux la terre qui tourne noblement. Il pense au cochon Six qui dort, sans savoir qu'il vit sur cette boule magnifiquement bleue.

Victor aurait bien aimé en faire encore quelques fois le tour, mais le grigou en a décidé autrement.

— Je suis vieux, Victor, très énormément vieux. Et tout cela me fatigue plus. Redescendons!

Victor admire de tous ses yeux les

pays, puis les champs, les montagnes, les fleuves et les rivières, les maisons qui grandissent, les gens qui réapparaissent. Le soleil va venir réveiller son village, ses parents et le cochon.

Le grigou a fait se poser, en douceur et en silence, le panier derrière la forêt de chez Victor. Aussitôt, le panier a repris son allure de vrai panier et le grigou l'a remis, vide, à Victor. La bulle, toute petite, flotte encore sur l'aile du grigou. D'un geste vif, il l'avale avant qu'elle disparaisse.

— Rentre à pied, Victor. Tu connais le chemin, lui souffle la serpente. N'oublie pas tes piquets. Pour le souvenir...

Le grigou serre Victor très fort entre ses ailes géantes. La serpente l'embrasse tendrement.

— Nous serons toujours là, dit-elle.

— Oui, très très plus, tu le sais, dit le grigou.

— Dans les rêves ou pour vrai? demande Victor.

— C'est un peu la même chose, non? répond la serpente avec un étrange sourire.

Victor n'a pas le temps de les remercier. Ils ont tous les deux disparu très vite dans les brumes un peu roses qui s'accrochent encore aux arbres.

• • •

Lorsque Victor sort de la forêt, il aperçoit les voitures et les gens massés devant la maison. Inquiet, il se faufile par derrière et entre par la cuisine.

Son père et sa mère se retournent d'un coup.

— Victor! s'écrient-ils.

Ils le serrent, l'embrassent, l'examinent dans tous les sens pour voir s'il n'a rien. Victor comprend tout de suite qu'ils ont pleuré.

— Te voilà, dit Joseph d'une voix grave.

— C'est toi, dit sa mère avec un sourire qui tremble encore.

Et comme leur silence ressemble à une question timide, Victor leur dit doucement:

— Ne vous inquiétez pas, j'ai fait trois fois le tour de la terre. Dans tous les sens.

Les parents sourient, médusés une fois de plus par les déclarations étonnantes de Victor. Depuis toujours, Victor déclare des choses merveilleuses.

— Le tour de la terre... murmure son père.

— On a tous eu très peur, dit sa mère.

Quand Victor entend tambouriner à la porte, ses parents lui font signe de se taire.

— Ils exagèrent! dit sa mère. Tout le monde t'a cherché partout, tu penses! Mais depuis ce matin, il y a là des gens de partout, des journalistes...

— ... des curieux, enchaîne son père. Des curieux qui disent, imagine donc, avoir vu à l'aube une boule, une bulle, un ballon lumineux descendre du ciel et venir atterrir derrière la forêt. Ils veulent nous interroger...

— Et comme tout le monde était à ta recherche, ils disent qu'il y a sûrement un rapport!

— Laisse-moi leur dire que tu es revenu et que tu n'as rien à voir avec cette histoire de bulle... dit son père en riant. Après, tu nous raconteras tout, ajoute-t-il en se dirigeant vers la porte.

— Tu as mangé? demande sa mère. Tu es bien? Tu n'as rien?

— Tout va bien, dit-il tout bas.

Victor ferme les yeux, épuisé.

Lorsque son père revient, Victor a tout juste le temps de lui dire avant de s'endormir:

— La terre est belle, mais la mer encore plus.

Épilogue

Madame Belon a gagné deux tours du monde, celui de la boîte de thé et celui du pot de mayonnaise.

Tous les jours, où qu'elle soit, elle envoie à Victor une carte postale. De Paris, puis de Vienne, de Budapest et d'Istanbul. Ensuite, des sommets du Tibet, de Hong-Kong, de Tokyo, puis de Bornéo, de Rio, de Sibérie, des déserts d'Australie, de la Terre de Feu et de Madagascar.

Victor n'a plus revu le grigou, ni la serpente. Ses rêves sont très calmes.

Les enfants de Léonard lui demandent sans cesse de leur raconter comment on vole dans un panier. Victor leur explique en leur montrant bien sur le globe terrestre tout ce qu'il a vu. Il leur parle de la terre Adélie où il ira un jour.

Chaque fois, les gens du village tendent l'oreille pour écouter un peu de cette fabuleuse histoire. Victor parle lentement, les yeux tournés vers le fleuve, guettant toujours le retour du Pouchkine.

— Monsieur, dit un jour à Joseph un touriste qui tendait lui aussi l'oreille, votre fils devrait écrire. C'est un grand conteur.

Le père de Victor a souri. Victor sait écrire son nom, c'est déjà beaucoup.

— Mon fils n'écrit pas la vie, monsieur, il la raconte, et jamais de la même façon. C'est beaucoup mieux.